Quint Buchholz

IM LAND DER BÜCHER

Carl Hanser Verlag

Das Motto von Fernando Pessoa stammt aus
dem *Buch der Unruhe*. Das Zitat erfolgt mit freundlicher
Genehmigung des S. Fischer Verlags.

Unser gesamtes lieferbares Programm und
viele andere Informationen finden Sie unter
www.hanser-literaturverlage.de

2 3 4 5   17 16 15 14 13

ISBN 978-3-446-24320-0
Alle Rechte vorbehalten
© Carl Hanser Verlag München 2013
Umschlaggestaltung: Stefanie Schelleis, München
Satz im Verlag
Druck und Bindung: TBB, a.s., Banská Bystrica
Printed in Slovak Republic

MIX
Aus verantwortungs-
vollen Quellen
FSC® C022120
FSC
www.fsc.org

Lesen heißt durch fremde Hand träumen.

Fernando Pessoa

Eine von uns springt ins Abenteuer

Einer sieht die Welt in neuem Licht

Einer ist das Fliegen nicht geheuer

in der Luft

inen Puder,

selber lang-

Weges ging

. Ich ent-

m Gaumen

zu treten.

Einer liegen manche Bücher nicht.

Einer meidet Lärmen und Geflimmer

Einer zieht in eine alte Schlacht

Eine schließt sich ein im Badezimmer

Einer findet Reime für die Nacht.

Eine fühlt ihr Herz gern heftig schlagen

Einen machen Bücher manchmal blind

Einer möchte trotzdem nicht verzagen

Einer liest Geschichten für ein Kind.

Einer hört, was er noch nie gehört hat

Einer wagt sich nah an seinen Feind

Eine tanzt, weil jemand sie betört hat

Einer ahnt den Abschied und er weint.

Einer schaut an unbekannte Orte

Einer liest mit großer Langsamkeit

Eine sammelt märchenhafte Worte

Eine baut an einer andren Zeit.

Eine liebt die menschenleeren Räume

Einer möchte ein Entdecker sein

Eine hüllt sich ein in ihre Träume

Eine ist am Abend nie allein.

Einer von uns steigt durch dicke Bände
weit hinauf ans hohe Himmelszelt.
Was er sucht und gerne einmal fände,
ist der Blick auf diese ganze …

Quint Buchholz, 1957 in Stolberg geboren, studierte Malerei und Grafik in München. Er gehört zu den renommiertesten deutschen Buchillustratoren. Für das Hanser Kinderbuch hat er Bücher von Elke Heidenreich, Jostein Gaarder, David Grossman, Amos Oz, Roberto Piumini und Jutta Richter, aber auch zahlreiche eigene Texte illustriert. 1997 erschien »Der Sammler der Augenblicke«, das mit vielen nationalen und internationalen Preisen ausgezeichnet wurde und auf der New-York-Times-Book-Review-Liste der 10 besten Bücher des Jahres stand, sowie 2012 eine Wiederauflage des Bilderbuchklassikers »Schlaf gut, kleiner Bär«.

Seit 1982 waren Quint Buchholz' Bilder in über siebzig Einzelausstellungen zu sehen. Er lebt in München.